Les Simpson™

Camping en délire

ISBN : 978-2-874-42538-7

Première édition - Mars 2008

Achevé d'imprimer en mai 2010 en France par Pollina s.a., Luçon - L22379. Dépôt légal : Mars 2008 ; D.2008/0053/252

LE JOUR DU JUGEMENT EST ARRIVÉ !
BONGO COMICS GROUP
Les Simpson™
#64
US $2.50
CAN $3.50
APPROVED BY THE COMICS CODE AUTHORITY
LEVEZ-VOUS POUR MARGE SIMPSON, TOUT NOUVEAU JUGE À LA TÉLÉ !
LA COUR SE PRONONCE EN FAVEUR D'UN IMPORTANT MESSAGE DE NOTRE SPONSOR !
MATT GROENING

LE JUGE
MARGE
AU GIBET, KIRK VAN HOUTEN ! APRÈS QUOI, VOUS SEREZ TRACTÉ ET ÉCARTELÉ...
... ET LES PARTIES ENCORE VIVANTES DE VOTRE CORPS DEVRONT ENSUITE PURGER UNE TRIPLE PEINE DE PERPÉTUITÉ.
IAN BOOTHBY
SCÉNARIO
OSCAR GONZALE LOYO
DESSIN
PHYLLIS NOVIN
ENCRAGE
ART VILLANUEVA
COULEURS
STUDIO MAKMA
STEPHAN BOSCHAT
LETTRAGE
MATT GROENING
REPORTER TRIBUNAL
EMILIE SAADA
ADAPTATION FRANÇAISE

VOICI LA SENTENCE QUE J'AIMERAIS PRONONCER CONTRE VOUS, PÈRE INDIGNE !
MAIS, PUISQUE NOUS SOMMES DANS UN TRIBUNAL D'INSTANCE À LA TÉLÉ, JE VOUS CONDAMNE À UNE AMENDE DE 400 $.

HÉ HÉ ! J'ADORE LA FAÇON DONT LE JUGE JULIE RÈGLE LEUR COMPTE À CES NULS DE PÈRES, INCAPABLES DE SUBVENIR AUX BESOINS DE LEURS ENFANTS.
MAIS J'AI ENCORE DROIT AUX 500 $ POUR MA PARTICIPATION À L'ÉMISSION ?
LAISSEZ BÉTON !

PAPA, IL ME FAUT DES LUNETTES !
TIENS, JE LES AI TROUVÉES DANS LA POUBELLE DE FLANDERS !

KESS T'AS, LIS ? TU BIGLES ?
MÊME PAS. MON OPHTALMO A DIT QUE J'AVAIS UN OEIL PERFECTIONNISTE.

PAPA, JE NE PEUX PAS PORTER LES LUNETTES DE QUELQU'UN D'AUTRE !
LISA, ON PEUT SOIT SE CHAMAILLER TOUTE LA JOURNÉE, SOIT DEMANDER À LA BOÎTE À RÉPONSES MAGIQUE.
TU VEUX DIRE LA TÉLÉ ?
CHHHT... ELLE PARLE.

BONJOUR TOUT LE MONDE !
BONJOUR, DR NICK !

BIENVENUE, COMME TOUJOURS VOUS POUVEZ M'APPELER EN DIRECT ET JE RÉPONDRAI À TOUTES VOS QUESTIONS SUR LA MÉDICINALITÉ ET LA DOCTOROLOGIE.

EUH... DR NICK ?
INFIRMIÈRE SAMSON, S'IL VOUS PLAÎT ! J'ESSAIE D'ANIMER UNE ÉMISSION.
DÉSOLÉE.
BEEEEEEEEEEEEEEEEP!

PREMIER APPEL, VOUS ÊTES À L'ANTENNE !
BONJOUR, DR NICK, J'AI UNE QUESTION AU SUJET DES LUNETTES DE MA FILLE.
EST-CE QUE TOUTES LES ORDONNANCES SONT LES MÊMES ?

EXCUSEZ-MOI. INFIRMIÈRE, POURRIEZ-VOUS ÉTEINDRE CE MONITEUR ? CE BIP INCESSANT EST INSUPPORTABLE AUX TROUS D'OREILLES !
BEEEEEEEEEEEEEEEEEP!

MAIS REVENONS-EN À VOTRE QUESTION. OUI, TOUTES LES ORDONNANCES SONT LES MÊMES. C'EST COMME LES LENTILLES DE CONTACT JETABLES, CE SONT LES MÊMES QUE LES LENTILLES NORMALES.
CE N'EST QU'UN GRAND COMPLOT D'OPHTALMOS.

À PROPOS DE COMPLOTS... DRÔLE D'HISTOIRE. EN FAIT, TOUTES LES MALADIES CONNUES PEUVENT ÊTRE SOIGNÉES À L'AIDE D'UN SIMPLE PRODUIT D'ENTRETIEN.

ARRÊTEZ-LE ! IL VA TOUS NOUS RUINER !
CE PRODUIT, C'EST...
NOOON !
ON VOUS AVAIT PRÉVENU !

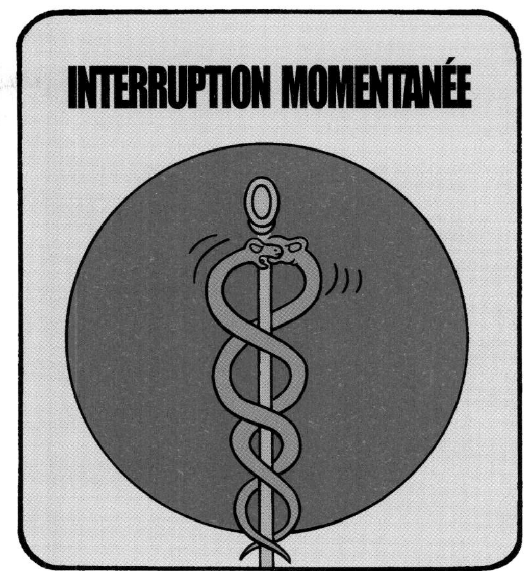
INTERRUPTION MOMENTANÉE

TU VOIS, LISA, PAS DE RAISON DE SORTIR TES AMYGDALES !
J'AI BESOIN DE LUNETTES !

BEURK ! TU LES AS VRAIMENT TROUVÉES DANS LA POUBELLE DE M. FLANDERS ?
SI PAR "POUBELLE", ON ENTEND "SA TÊTE PENDANT QU'IL DORMAIT DANS SON HAMAC", ALORS C'EST OUI.

PENDANT CE TEMPS...
SCREEECH!
CRASH!
PAPA, TU ES SÛR QUE TU FAIS BIEN DE CONDUIRE SANS TES LUNETTES ?
ÊTRE OFFICIELLEMENT AVEUGLE N'EST PAS UNE RAISON POUR RATER L'ÉGLISE. LA FOI NOUS GUIDERA, DROIT AU BUT !

NOUS Y SOMMES.
EUH... PAPA ?
PAS LE TEMPS DE DISCUTER. ENTREZ, TROUVEZ UNE BONNE PLACE, JE VAIS ALLER ME GARER.
TEMPLE HARI KRISHNA BIENVENUE À TOUS

PLUS TARD...
JE DEVRAIS LES ESSAYER, QUAND MÊME, LES LUNETTES DE M. FLANDERS...

AAAAAH !

C'EST COMME SI J'AVAIS LES YEUX COUVERTS DE SUCRE !

C'EST QUOI, CES HURLEMENTS ? ON A ÉTÉ ENVAHIS PAR LA NOUVELLE-ZÉLANDE ? J'AI ESSAYÉ DE PRÉVENIR LE PRÉSIDENT, MAIS IL A FAIT LA SOURDE OREILLE.
SOCIAL
OH, SALUT GRAND-PA. SI JE CRIE, C'EST PARCE QUE J'AI BESOIN DE LUNETTES, À UN OEIL.

JE CROIS POUVOIR T'AIDER.

OUAIP, LE VOILÀ !

UN MONOCLE ? QUI APPARTENAIT À UN OFFICIER ALLEMAND ?
PLUS OU MOINS. JE L'AI VOLÉ DANS LA LOGE DE WERNER KLEMPERER, QUAND J'ÉTAIS AGENT DE SÉCURITÉ SUR LE TOURNAGE DE "PAPA SCHULTZ".

OH, GÉNIAL ! JE VOIS PARFAITEMENT BIEN. MERCI, GRAND-PA.

YAAH !
"TREMBLE"

LE PRENDS PAS MAL, ABE, MAIS TA PETITE FILLE EST VRAIMENT ***FLIPPANTE*** AVEC CE TRUC.
C'EST ÇA, ET GRÂCE À TON ***ANUS ARTIFICIEL,*** TU ES DEVENU ÉNERVANT, ELMO.

VOUS SAVEZ, LES GARÇONS, JE TROUVE ÇA FORMIDABLE QU'À SON ÂGE, LE RÉVÉREND LOVEJOY AIT ENCORE LE COURAGE D'INNOVER.
ÇA ME ***GRATTE***.
QUELQU'UN VEUT FINIR MA ***SALADE DE POIS CHICHES*** ?

CRASH!
QU'EST-CE QU... ?

OUF ! HEUREUSEMENT QU'ON A INSTALLÉ CES "PRIÈRE-BAGS". LISEZ DES VERSETS DE LA BIBLE, JE VAIS ALLER PARLER À LA CHARMANTE PERSONNE QU'ON A PERCUTÉE.
OUI PAPA !
Puis Jesus entra dans
Au commencement

DÉSOLÉ, DÉSOLÉ ! C'EST MA FAUTE ! J'ESPÈRE QUE VOUS AVEZ UN AIRBAG, LÀ-DEDANS !

IL M'A TRAITÉE DE QUOI, LÀ ?
JE M'EN OCCUPE, MÈRE.
VIDE-LE COMME UN POISSON !

CONTENT DE VOUS VOIR, M.L'AGENT ! CET HOMME A PERCUTÉ MA VOITURE !
C'EST VRAI ! C'EST MOI !
EH BIEN, JE NE PEUX RIEN FAIRE. LE TRIBUNAL EST FERMÉ JUSQU'À LA FIN DU CONGÉ MALADIE DU JUGE SNYDER.

IL A UN TRUC QUI CLOCHE ?

"IL A DÛ ATTRAPER UNE BORRÉLIOSE À TIQUE."
JE NE VOUS MENTIRAI PAS, CES PUCES SONT BIEN TROP CHÈRES POUR UN TYPE COMME MOI, MAIS CES TIQUES DU CERF LES VALENT LARGEMENT, N'EST-CE PAS LES AMIS ?
CIRQUE DE PUCES
ALLEZ, VENEZ VOIR DE PLUS PRÈS !

DONC, ON NE PEUT PLUS ESPÉRER QUE JUSTICE SOIT FAITE DANS CETTE VILLE ?
FAUT CROIRE.
C'EST CE QU'ON VA VOIR !

VOUS, PRENEZ CETTE CRAIE ET ÉCRIVEZ CENT FOIS SUR LA ROUTE : "JE CONDUIRAI MIEUX À L'AVENIR."
OK D'ACC' !

Z'AVEZ VU ÇA ?
QUELLE ACTION RADICALE !
JE COND

EH, ON DEVRAIT EN FAIRE LE NOUVEAU JUGE !
MOI ? EH BIEN, JE...
VOUS ACCEPTEZ, M'SIEU ? IL FAUT VRAIMENT QU'ON REPRENNE LES POURSUITES.

LA VOITURE EST PLEINE À CRAQUER.
EN PLUS, C'EST CARRÉMENT MAUVAIS POUR MA SCIATIQUE.

SI C'EST APRÈS **L'ÉCOLE** OU PENDANT LE **WEEK-END,** JE SUIS D'ACCORD !
OUAIS !
HIP HIP !
HOURRAH !
BOUH !

QUOI ?

LE LENDEMAIN...
EH, LISA, FILE-MOI **L'ARGENT** DE TON DÉJEUNER !

PAS QUESTION. J'EN AI BESOIN, POUR FAIRE UN **REPAS ÉQUILIBRÉ** !

D-D'ACCORD, LISA ! ON VEUT PAS DE PROBLÈMES ! ON Y VA !

HMMM.

PENDANT CE TEMPS...
CERTAINS D'ENTRE VOUS SE DEMANDERONT POURQUOI LE TRIBUNAL EST INSTALLÉ AU **SUPERMARCHÉ**. NOUS AVONS LOUÉ LE **VRAI** TRIBUNAL POUR LA SEMAINE, ET NOUS N'AVONS PAS LES MOYENS DE RENDRE LA CAUTION.
PREMIÈRE AFFAIRE : SNAKE. VOUS ÊTES ACCUSÉ DE **VOL DE VOITURE**. QUE PLAIDEZ-VOUS ?
J'AI **JAMAIS** VOLÉ DE VOITURE DE MA VIE, MEC !

ALORS, POURQUOI ÊTES-VOUS **MONSIEUR** JUIN DANS LE **NOUVEAU CALENDRIER DES VOLEURS DE VOITURE EN MAILLOT DE BAIN** ?
MMMM... MMMM. IL RESPIRE **L'AUTO-ÉROTISME DES GRANDS VOLEURS** !

J'EN AI ASSEZ DE VOIR LES CONTRIBUABLES PAYER LA FACTURE DE VOS SÉJOURS EN PRISON.
JE VOUS CONDAMNE À UNE **RÉCRÉATION** AU GYMNASE DE L'ÉCOLE PRIMAIRE DE SPRINGFIELD.
HEIN ?

QUELQUES MINUTES DE TRANSPORT SCOLAIRE PLUS TARD...
SNAKE, J'AIMERAIS VOUS PRÉSENTER TOUS CEUX DONT VOUS AVEZ VOLÉ LES VOITURES, DEPUIS DES ANNÉES.
BEN, SALUT !
APPORTEZ LES **BALLONS**.

HÉ, MEC ?
QUE LA RÉCRÉATION COMMENCE !

MAIS, AÏE !
BANG! SHTONG!
BAM!
Springfield Shopper
LES MÉTHODES DU JUGE SKINNER FONT L'UNANIMITÉ
SEULE SA MÈRE EXPRIME "DES RÉSERVES"

LES **BONBONS D'HALLOWEEN** DE LISA DOIVENT ÊTRE PAR ICI.
VOYONS, SI J'ÉTAIS ***VÉGÉTARIEN, SUPER BON ÉLÈVE ET FAN DE JAZZ,*** OÙ EST-CE QUE JE PLANQUERAIS MES BONBECS ?

HUM !

GASP !

OH, SALUT, LISA, J'ÉTAIS JUSTE ...
... EN TRAIN DE REFAIRE TON LIT. IL FAUT QUE LES COINS SOIENT BIEN TIRÉS, TU SAIS.

BON, FAUT QU'J'Y AILLE.
SAUTE!

QUOOIIII ?

AAAAAAAAAAAAH!

PAPA AVAIT SCIÉ LA ***BRANCHE DE SECOURS*** L'ÉTÉ DERNIER, TU TE SOUVIENS ?
OH, TRÈS JUSTE.

LE LENDEMAIN ...
VOULEZ-VOUS GOÛTER NOS NOUVELLES BARRES BIOS AUX FRUITS ?
MOI, JE VEUX BIEN !

PRENEZ TOUT, ET **NE ME FAITES PAS DE MAL** !

ON DIRAIT QUE CE MONOCLE INSPIRE LA ***PEUR ET LE RESPECT***. MAIS IL NE FAUT PAS QUE ÇA ME ***MONTE À LA TÊTE***.

JE VEUX DES ÉCHANTILLONS GRATUITS, ET ***TOUT DE SUITE*** !
SNAP!
OUI, M'DAME !

LES PROCHAINES AFFAIRES SERONT ***RETRANSMISES*** EN DIRECT PENDANT LES INFOS, NOUS VERRONS SI VOUS ÊTES PRÊT POUR AVOIR VOTRE PROPRE ***ÉMISSION***.
COMME LE JUGE JULIE ?
SON ÉMISSION A ÉTÉ ***SUSPENDUE***.

ELLE A ÉTÉ MISE EN DÉTENTION À TIJUANA, POUR DES RAISONS QUE JE SUIS OBLIGÉE DE TAIRE.
D'ACCORD, D'ACCORD. ACCORDONS NOS VIOLONS.
TU VEUX TOUJOURS ***M'ÉPOUSER*** N'EST-CE PAS, KRUSTY ?
SERGIO ESTUVO AQUÍ!
BIEN SÛR ! ICI NON PLUS, UNE FEMME NE PEUT PAS ***TÉMOIGNER*** CONTRE SON ÉPOUX, ***NON*** ?

N'OUBLIEZ PAS, LE PUBLIC ADORE VOTRE FAÇON IMPERTURBABLE D'APPLIQUER LA DISCIPLINE.
NE CHANGEZ RIEN, ET VOUS SEREZ UNE STAR !

OYEZ, OYEZ ! LA SÉANCE EST OUVERTE ! PREMIÈRE AFFAIRE INSCRITE AU REGISTRE...
BLAM!

ÇA ROULE, REGISTRE ?
AAAAAH !

BART !
PRINCIPAL SKINNER, POURQUOI PORTEZ-VOUS LA COMBINAISON DE VOTRE MÈRE ?

SACHE QUE CECI EST MA COMBINAISON !
HA, HA !
JE VEUX DIRE MA ROBE ! JE VEUX DIRE, ARRÊTE DE FAIRE DU SKATE DANS MON TRIBUNAL !

IL A PERDU LE CONTRÔLE DE SON TRIBUNAL !
PERSONNE NE PEUT ARRÊTER CE GOSSE, IL EST DÉCHAÎNÉ !
TOUT EST PERDU !

BART !
GULP !

ARRÊTE TOUT DE SUITE D'EMBÊTER LE JUGE SKINNER !
SINON ?

SINON, JE MONTRE DES PHOTOS DE TOI BÉBÉ À LA CAMÉRA, JUSQU'À CE QUE TU ARRÊTES !
NOOOOOON !

ÇA Y EST, J'AI FINI ! JE TE DEMANDE PARDON, C'EST UN HORRIBLE MALENTENDU, CACHE CES PHOTOS !

BIEN JOUÉ, BIEN JOUÉ. L'HUMILIATION, LA JUSTICE, UNE POINTE DE NUDITÉ. J'ADORE !
JE VOUS PROPOSE DE DÉMARRER VOTRE PROPRE ÉMISSION, COMME JUGE.

JUGE ? JE NE SAIS PAS. J'AI DÉJÀ ÉTÉ ARRÊTÉE... DEUX FOIS. EN FAIT, CHACUN DES MEMBRES DE MA FAMILLE L'A ÉTÉ, SAUF MAGGIE, QUI ÉTAIT TROP PETITE POUR ÊTRE INCULPÉE DE TENTATIVE DE MEURTRE.
J'ADORE, ÇA VOUS DONNE UN AVANTAGE.
ET MOI, ALORS ?

The Springfield Shopper
LE "JUGE" MARGE ANIME SA PROPRE ÉMISSION
LA MÈRE DE SKINNER AVAIT RAISON

CETTE NUIT-LÀ...
MARGE, ET SI JAMAIS, UNE FOIS DEVENUE JUGE, TU N'ÉTAIS **PLUS LA MÊME** ?
OH, JE RESTERAI LA MÊME. DORS.
BONJOUR ***POST-APOCALYPTIQUE***, MARGE !
QU'EST-CE QU'ON MANGE POUR LE PETIT DÉJEUNER ?
ON DIT JUGE MARGE, ***CITOYEN*** ! ET JE REPRÉSENTE LA LOI !
VOUS ÊTES ACCUSÉ D'AVOIR BU DU LAIT À L'ÉLECTRO-BOUTEILLE, D'ABUS DE SIESTE SUR LE CYBER-CANAPÉ, ET DE NE PAS AVOIR RABAISSÉ LA LUNETTE DES RECYCLO-TOILETTES !
QUE PLAIDEZ-VOUS ?
JE...
COUPABLE DES FAITS IMPUTÉS !
ZAP!
OH, ET N'OUBLIE PAS D'ALLER CHERCHER LES ENFANTS À ***L'ACADÉMIE BIG BROTHER DE DÉSAPPRENTISSAGE***.
OUI, MA CHÈRE.
LE LENDEMAIN...
VOUS ÊTES ACCUSÉ DE ***DOMINATION MÉGALOMANE DU MONDE AU DEUXIÈME DEGRÉ***. QUE PLAIDEZ-VOUS, DR COLOSSUS ?
TSS ! TSS !
ON EST OBLIGÉS DE SUPPORTER MA MÈRE ET SES "TSS ! TSS !" ? C'EST ÉNERVANT.

EH BIEN, VOUS AURIEZ DÛ Y PENSER **AVANT** DE VOUS LANCER DANS VOTRE **GRAND PLAN CRIMINEL** !
D'ACCORD ! D'ACCORD ! **J'AVOUE** ! MAIS ARRÊTEZ **N'EN JETEZ PLUS** !

VOUS AVEZ FAIT UN BOULOT FANTASTIQUE AUJOURD'HUI, MARGE ! LES INDICES NELSON CRÈVENT LE PLAFOND !
VOUS VOULEZ DIRE NIELSEN.

NON, NELSON.
VOUS DÉCHIREZ !

LA FAMILLE NIELSEN S'EST ÉTEINTE, IL Y A DES ANNÉES, À FORCE **D'UNIONS CONSANGUINES**. POUR NOS **INDICES,** NOUS COMPTONS DÉSORMAIS SUR LES JEUNES ENFANTS, LES PERSONNES ÂGÉES ET À L'OCCASION, UN SUJET ÉCHAPPÉ DE L'HÔPITAL PSYCHIATRIQUE.
LA TÉLÉVISION A BEAUCOUP PLUS DE **SENS** TOUT D'UN COUP.

PENDANT CE TEMPS...
EH, HOMER. TU AS REMARQUÉ QUE LA MAISON TOMBE EN RUINE CHAQUE FOIS QUE MAMAN TRAVAILLE ?
OUI, J'AI REMARQUÉ. D'HABITUDE, C'EST LISA QUI NOUS SAUVE EN ÉLEVANT **LA VOIX DE LA RAISON,** MAIS DERNIÈREMENT...

JE PRENDS TA TIRELIRE POUR ALLER FAIRE DU SHOPPING. **DES OBJECTIONS** ?
NON, LISA.
BIEN. TU PEUX CONTINUER.

BREF, JE CROIS QU'ON DEVRAIT SE TROUVER UNE **FIGURE D'AUTORITÉ,** SI ON VEUT ÉVITER UNE NOUVELLE **CONDAMNATION** SUR LA MAISON.
MAIS QUI, BART ? QUI ?

LE **JUGE SNYDER** ! IL EST GUÉRI, ET DEPUIS QUE MAMAN A PRIS LA RELÈVE, IL EST **AU CHÔMAGE**.
COMMENT ÇA SE PEUT QUE JE NE L'AIE PAS VU, IL ÉTAIT DEVANT MOI ?
JE SUIS JUGE AUX AFFAIRES FAMILIALES DEPUIS VINGT ANS. JE VEUX BIEN **ÊTRE PAYÉ EN NOURRITURE**.
VOUS ÊTES **ENGAGÉ**. MAINTENANT POUSSEZ-VOUS, VOUS ÊTES DEVANT LA TÉLÉ, VOTRE HONNEUR !

VOUS SAVEZ, J'AIMERAIS SORTIR D'ICI ASSEZ *TÔT* POUR ALLER FAIRE LES COURSES. VOUS POURRIEZ AVOUER ? ÇA ME ***DÉPANNERAIT,*** VRAIMENT.
J'VEUX PAS.

POUVEZ-VOUS RÉELLEMENT AFFIRMER QUE VOUS N'AVEZ PAS CAMBRIOLÉ CETTE BANQUE, EN REGARDANT ***L'OFFICIER MAGGIE*** DROIT DANS LES YEUX ?

J'AVOUE ! J'AVOUE !

UTILISER DES BÉBÉS POUR OBTENIR DES AVEUX.
QUAND JE PENSE AU TEMPS PERDU AVEC DES ANNUAIRES, DES TUYAUX EN CAOUTCHOUC ET DES TAIES D'OREILLERS BOURRÉES DE SAVONNETTES.
ALLEZ-Y, JUGE MARGE !
OUAIS !

PENDANT CE TEMPS...
SI LA COUR LE PERMET, JE SOUHAITE PRODUIRE CES PHOTOS COMME PIÈCES À CONVICTION "A".
RETENU.
A

CES PHOTOS MONTENT CLAIREMENT UN CERTAIN HOMER J. SIMPSON, EN TRAIN DE **VOLER MON DESSERT** !
ESPÈCE DE PETIT...

JE VOUS AI DÉJÀ PRÉVENU, M. SIMPSON ! ENCORE UNE **INTERVENTION DE CE GENRE,** ET JE VOUS ENFERME POUR OUTRAGE !
MAIS, CE GARÇON...
ARGH !

EMMENEZ-LE !
D'OÙ VOUS SORTEZ, VOUS ?
DE L'AGENCE D'INTERIM.

"SOUPIR" MARGE ME MANQUE.

POUR EFFRACTION, ET POUR AVOIR FAIT PLEURER L'OFFICIER MAGGIE, JE VOUS COLLE DEUX ANS D'INTERDICTION DE SORTIE ! ET PRIVÉ ET DE CÂBLE !
JE CROIS QUE VOUS AVEZ BESOIN D'UN **TEMPS MORT,** POUR RÉFLÉCHIR À CE QUE VOUS AVEZ FAIT.
NON ! ENVOYEZ-MOI PLUTÔT **EN PRISON** !

L'ORDRE EST MAINTENU. EXCELLENT. MAINTENANT, UN BON BROSSAGE DE DENTS, ET AU CENTRE COMMERCIAL.

JE VAIS ENLEVER LE MONOCLE ET...
QUOI ?
NON !

NE L'ENLÈVE JAMAIS ! LE MONOCLE, C'EST LA PEUR ! LE MONOCLE C'EST LE POUVOIR !
EST-CE QUE JE VEUX FAIRE PEUR AUX GENS ?

PFF ! REGARDE TOUT CE QUE TU AS EU AUJOURD'HUI ! ET CE N'EST PAS FINI !
PAS FINI ?

NON ! C'EST MAL ! LE POUVOIR M'A CORROMPUE !

C'EST TERMINÉ !
NOOOOOOON !

LISA, SUPER NOUVELLE ! LE FAN-CLUB DE WERNER KEMPERER M'A TÉLÉPHONÉ. ILS OFFRENT 50 000 $ POUR LE MONOCLE.
OH !

CE SOIR-LÀ, AU TRIBUNAL (DU SUPERMARCHÉ)...
ON NE POURRAIT PAS ARRÊTER, LÀ ? JE SUIS ÉPUISÉE, ET MA FAMILLE ME MANQUE.
NON ! VOUS ÊTES À NOUS, MARGE. EN FAIT, NOUS AIMERIONS QUE VOUS COMMENCIEZ À DORMIR DANS VOTRE CAMPING-CAR, AU LIEU DE RENTRER CHEZ VOUS.
ALORS, POUR L'AFFAIRE SUIVANTE...
Z Z Z Z

QU'EST-CE QUE...
MARGE, MON CHOU, ON VEUT QUE TU RENTRES !
4.95

C'EST LE BAZAR À LA MAISON. JE SUIS EN RÉSIDENCE SURVEILLÉE, JE N'AI PAS LE DROIT DE SORTIR SANS PORTER CE BRACELET QUI M'ENVOIE UNE DÉCHARGE ÉLECTRIQUE TOUTES LES VINGT SECONDES.

ALORS, LE JUGE SNYDER SE RÉINSTALLE TOUT DE SUITE ?
OUI, ET EN TANT QU'EX-JUGE, J'AI DROIT À *UNE CARTE "VOUS ÊTES LIBÉRÉ DE PRISON"*.
OH, C'EST MIGNON. COMME AU MONOPOLY MAIS ATTENDS, C'EST *UNE VRAIE*.

AAAAAH !

ÇA VA, HOMER ?
OUAIS, LA *POLICE* A DIT QU'ON M'ENLÈVERAIT LE BRACELET DANS LES *CINQ JOURS OUVRÉS*. LA GLACE SOULAGE ASSEZ BIEN LES *BRÛLURES ÉLECTRIQUES INTERNES*, QUAND MÊME.

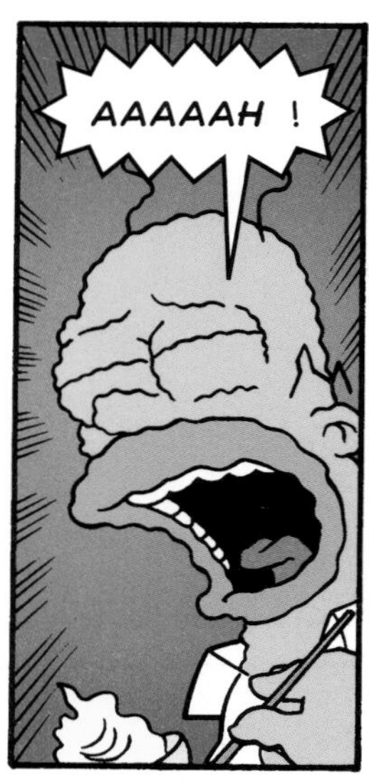
AAAAAH !

ET VOILÀ POURQUOI ON DIT " MÉFIE-TOI DU FEU SOUS LA GLACE " ! HI, HI !

ARRÊTE, MAMAN, PAPA *SOUFFRE* BEAUCOUP !
TU AS RAISON, JE SUIS DÉSOLÉE.

AAAAAH !

HA! HA! HA! HA! HA!
FIN

MARIN D'OH DOUCE !
Les Simpson
#67
US $2.50
CAN $3.50
APPROVED BY THE COMICS CODE AUTHORITY
LA CRUCHE VA À L'EAU !
CORN D
MATT GROENING

SPRINKLE, CETTE BATAILLE MET D'INNOCENTS CIVILS EN DANGER ! ESSAIE D'ACTIVER UN CHAMP CLIMATIQUE, IL FAUT LES PROTÉGER DES RETOMBÉES !

D'ACCORD, OCTOCLOPS; MAIS POURQUOI PROTÉGER CEUX QUI NOUS HAÏSSENT ET NOUS PERSÉCUTENT ?!
JE NE LA HAIS PAS !
JE NE VEUX PAS DU TOUT LA PERSÉCUTER !

SPRINKLE ! NE REMETS PAS EN QUESTION NOTRE DESTINÉE, CAR NOTRE COMBAT DEVRA ÉTERNELLEMENT ÊTRE DÉDIÉ À FAIRE EN SORTE QUE NOUS PUISSIONS À JAMAIS LUTTER AINSI POUR TOUJOURS. TEL EST LE SERMENT DES Z-MEN !

DE BIEN BELLES PAREULES, PREUFESSEUR-MAIS MAINTENANT, JE DOIS FAIRE LA PEAU À LA CRÉATURE QU'ON APPELLE BUCKTOOTH !
SNOKT!

EH BEN, T'ATTENDS QUOI POUR ARRÊTER DE CAUSER, NABOT !

PRENDS ÇA, MON POTE !
WEASELRINE, NON !!!
CHUNNNKK!
AARRGGHHH!!

CRISE DE CROISSANCE!
PAPA ! T'ES EN TRAIN D'ESSUYER TA GROSSE TÊTE DE NOUILLE AVEC MA BÉDÉ DES Z-MEN !
Z-MEN MOVIE SPECIAL
GAIL SIMONE
SCÉNARIO
PHIL ORTIZ
DESSINS
TIM BAVINGTON
ENCRAGE
ART VILLANUEVA
COULEURS
STUDIO MAKMA S. BOSCHAT
LETTRAGE
MATT GROENING
M. JEANS VERTS
EMILIE SAADA
ADAPTATION FRANÇAISE

MES PA-SGHETTIS SONT PAS BIEN CUITS !
EN PLUS, C'EST LE NUMÉRO SUPER RARE AVEC LA COUVERTURE HOLOGRAMMÉE ! CHEZ LIZARD MAGAZINE, ILS DISENT QU'IL Y A MOINS DE DIX MILLIONS D'EXEMPLAIRES EN CIRCULATION !
LIZARD
MAIS CE PAPIER TRIPLE ÉPAISSEUR EST SUPER ABSORBANT !
MAMAN, N'OUBLIE PAS : PAPA ET TOI, VOUS M'AVEZ PROMIS DE M'EMMENER À MA RÉUNION DES ÉCOLO-OURSONS CE SOIR.
JE N'OUBLIE PAS MON CHOU. ET À PROPOS, COMMENT ÇA VA, TON PETIT CLUB ?
PAS TROP BIEN, M'MAN. LES HABITANTS DE SPRINGFIELD N'ONT PLUS AUCUNE FIERTÉ. DÈS QU'ON COMMENCE À LEUR PARLER D'ENVIRONNEMENT, LES GENS...
HOMER !
SPROING!
ZZZZZZZZZZZZZZZZZ
... ET JE CROIS QU'IL Y A UN AUTRE TRAVESTI AUSSI, LE TYPE QUI ANIME CE TALK-SHOW ET QUI PORTE DES ROBES ! MAIS JE N'AI PAS VRAIMENT DE FAITS À L'APPUI, JUSTE UNE ESPÈCE D'INTUITION !
POINK!
PAPAAAAA ! ON PARLAIT DE L'EMBELLISSEMENT DE LA VILLE !
... ET TU ME DOIS TOUJOURS UNE BD, HOMER !
IL FAUT RAJOUTER DU LAIT SUR MES CROÛTONS À L'AIL !

BART, J'AI QUATRE BELLES PIÈCES DE 25 CENTS DANS LA POCHE. TU PEUX ALLER T'ACHETER PLUSIEURS BD, PEUT-ÊTRE MÊME UN PETIT MIRLITON, ET Y TE RESTERA ENCORE DE LA MONNAIE !

CETTE BD A COÛTÉ 7.50 $, HOMER.
D'OH !!!

LISA ! BART ! JE CROIS BIEN QUE J'AI LES SOLUTIONS À VOS PROBLÈMES, MÊME SI J'AI DÉJÀ OUBLIÉ LE PROBLÈME DE LISA ! ON VA À LA CAVE, MON GARÇON !
QUAND J'ÉTAIS JEUNE, LES BANDES DESSINÉES ÉTAIENT EN FIBRE DE VERRE, IL FALLAIT METTRE DES GANTS SPÉCIAUX POUR LIRE ! ON LES APPELAIT "LES ARRACHE-PEAU".

TU VOIS, PETIT, TON VIEUX EST UN VRAI CERVEAU ! NON SEULEMENT J'AI GARDÉ LA PREMIÈRE BD QUE J'AI ACHETÉE, MAIS EN PLUS JE L'AI RANGÉE DANS UN SAC PLASTIQUE POUR QU'ELLE RESTE EN PARFAIT ÉTAT !

J'AURAIS P'TÊT' PAS DÛ LA METTRE DANS UN SAC ÀSANDWICH. AMUSE-TOI, FILS !
MAIS, PAPA...
THE Z-MEN
C'EST PAS LA PEINE DE TE METTRE DANS TOUS TES ÉTATS, TON REGARD EXPRIME LA RECONNAISSANCE.

KESSEKEUCÉ QUE CETTE ESPÈCE DE VIEUX BOUQUIN TOUT POURRI !

BON, ON A ENCORE ÉVITÉ UNE CRISE FAMILIALE, GRÂCE À MON SENS COMIQUE SANS PAREIL. ENFIN C'EST L'HEURE D'HOMER. OÙ EST LA TÉLÉCOMMANDE ?

HOMER, CHOU, TU AS PROMIS DE NOUS EMMENER À LA RÉUNION DU CLUB DE LISA CE SOIR, TU TE RAPPELLES ?
BIEN SÛR ! ET JE VAIS **TENIR MA PROMESSE**, MÊME SI JE DOIS RESTER SUR LE CANAPÉ **TOUTE LA SOIRÉE** POUR REGARDER LA TÉLÉ !

JE NE PLAISANTE PAS HOMER, ÉTEINS CET AFFREUX DE GEORGE CARLIN ET MONTE DANS LA VOITURE !
MAIS, MARGE... ! C'EST L'ÉMISSION OÙ IL **S'ÉNERVE** CONTRE LE **SYSTÈME** ! CELLE AVEC TOUS LES **COMMENTAIRES** OUTRANCIERS !
... VOICI SEPT MOTS QU'ON NE PEUT PAS DIRE À LA TÉLÉ... IL Y A VINGT-CINQ ANS !

CE N'EST PAS LA FAUTE DE **LISA** SI TU ES TROP **PARESSEUX** POUR APPUYER SUR LA TOUCHE ENR DU MAGNÉTOSCOPE...
PARESSEUX COMME UN **RENARD**, MARGE ! JE VIENS D'AVOIR UNE **GRANDE IDÉE** !
PLUS GRANDE QUE LA **PÉNICILLINE** ?
LA PÉNICILLINE ÇA CRAINT, LISA, VA CHERCHER D'AUTRES RALLONGES.

PAPA, ÇA N'A PAS L'AIR TRÈS **PRUDENT**...
ÉCOUTEZ, VOUS M'AVEZ DÉJÀ EMPÊCHÉ DE L'INSTALLER SURLE CAPOT, LÀ, ÇA VA ! **PLUS DE COMPROMIS** !

JE CROIS QU'ON ARRIVE AU BOUT DE LA **RALLONGE** !
EXACTEMENT LISA, LA TÉLÉ, **C'EST** MAGIQUE !
... UN AUTRE TRUC QUE JE DÉTESTE, CE SONT LES ENFANTS ATTEINTS DE MALADIES INCURABLES. AVEC EUX C'EST TOUT LE TEMPS "MOI, MOI, MOI", POURQUOI ?

PEU APRÈS...
CE SOIR
RÉUNION ENVIRONNEMENT ENFANTS
MARDI
KERMESSE VENTE SCULPTURES DE SUCETTES
PAS... UN... MOT...

C'EST **NUL** ! J'AI PRESQUE FINI CETTE IDIOTE DE BD ET 'Y A PAS ENCORE EU DE BASTON !
BRAVO, **CREEP** ! SERS-TOI DE TES MAINS ET DE TES PIEDS ÉNORMES POUR DISTRAIRE LE SUPER-MÉCHANT, **MANIFOLD** !
SANS L'OMBRE D'UN DOUTE, **OCTOCLOPS** !

ATTENDS, C'EST QUOI **C'TRUC** ?

OUAH, MANMAN !
Ferme de fourmis rouges
Crayon en plomb (modèle n°2)
Walkie-talkie "du Pionnier"
Haut-de-forme et demi-guêtres
Encyclopédie de M à Q
"Ma mère dit que vendre des graines, c'est bien plus amusant qu'avoir des amis" **Tood Toddly, Washington**
"Des gens m'ont payée pour que je m'en aille !" **Betty Douglas, Wisconsin**
"L'Amérique a besoin de Graines d'Arménie !" **Winslow Dibble, Missouri**
électrique mécanique
de basket
Arbalète Super De Luxe
PAYEZ
GAGNEZ DES LOTS !
avec les Graines d'Arménie Surtaxées !
Choisissez parmi une sélection de neuf merveilleux lots – ils sont à vous ! Il vous suffira de harceler famille et amis et de leur vendre les célèbres Graines d'Arménie, les graines de l'âge de l'espace à la puissance nucléaire !
N'ENVOYEZ PAS D'ARGENT
Le numéro et la date d'expiration de la carte de crédit de vos parents suffisent ! Tout le monde s'arrache les Graines d'Arménie ! Notre procédé secret permet de charger chaque pochette de plusieurs envois de radiations, ainsi chaque fleur est encore plus odorante, chaque légume est plus gros, bourré de vitamines ! Ces "super-graines" étonneront et enchanteront voisins et amis et si ne nous vous oublions pas, nous vous enverrons en express le lot de votre choix, dès la vente de votre premier cageot de graines !Vous n'avez rien à perdre ! Faites-le, maintenant ! Non, tout de suite !
ENVOYEZ CE COUPON AUJOURD'HUI
OU APPELEZ (MUNISSEZ-VOUS DU NUMERO DE CARTE DE CREDIT) LE 555 - DES - GRAINES
Graines d'Arménie
333R Goulag Road (App. C)
Hripsime, Arménie
Nom :
Adresse :
Ville :
Tendances politiques de vos parents :
En envoyant ce coupon, j'accepte l'accès illimité des représentants de Graines d'Arménie au compte bancaire de mes parents. Je m'engage à nier toute connaissance de l'existence de Graines d'Arménie en cas de litige ou de coup d'État.
Illégal dans certains Etats
Suzy Féedulogis
à lancer "Guillaume Tell"

ÉCOUTE, MEC, CETTE ARBALÈTE JE LA VEUX, ET JE ME FICHE DE SAVOIR COMBIEN DE CAGEOTS DE GRAINES IL FAUDRA VENDRE POUR L'AVOIR ! TU PIGES ?
EH, 'Y A PLUS DE TÉLÉ ? ON EST EN 1947 OU QUOI ?

TU DIS QUE TU PASSES VRAIMENT UNE COMMANDE ? TU ES SÉRIEUX, TU NE FERAIS PAS ÇA À TONTON GIL, HEIN, PETIT ?!
HOT DOG ! ET MAMAN QUI NE VOULAIT PAS QUE JE SORTE CETTE SEMAINE !
SARL GRAINES D'ARMENIE
SARL GRAINES D'ARMENIE
SARL GRAINES D'ARMENIE

EH, BUTCH ! LE GOSSE VEUT L'OFFRE COMPLÈTE ! ON PEUT ENFIN VENDRE LE LOT DE GIL ! INSCRIS-LE AU GRAND TABLEAU !
SARL GRAINES D'ARMENIE
SARL GRAINES D'ARMENIE

VENTES
1999
2000
2001
OUAIS, D'ACC', SI TU VEUX.

... ET JE CRAINS QUE NOUS NE PUISSIONS ATTEINDRE NOS OBJECTIFS : METTRE UN TERME À LA POLLUTION DE LA PLANÈTE ET AU RÉCHAUFFEMENT GLOBAL. EN PLUS, NOUS AVONS DONNÉ LES DERNIERS 50 $ DE LA CAISSE AU RÉVÉREND LOVEJOY POUR LES BOISSONS DE CE SOIR.

DIS, LISA SIMPSON, L'ORANGEADE, ÇA NE POUSSE PAS SUR LES ARBRES !

SOYONS RÉALISTES. SI NOUS NE TROUVONS PAS COMMENT LEVER DES FONDS, NOUS SERONS TRÈS VITE OBLIGÉS DE FERMER LE CLUB DES ÉCOLO-OURSONS !
OH, JE DÉTESTE LE RÉCHAUFFEMENT GOTAL ! ÇA REND LISA TROP TRISTE !

BON, DISONS QUE SI PAR HASARD QUELQU'UN CAMBRIOLAIT QUELQUES STATIONS-SERVICE ET QUE, C'EST UNE HYPOTHÈSE, CE QUELQU'UN NOUS DONNAIT LE FRUIT DU LARCIN ? IMAGINONS ?
KEARNY, C'EST ADORABLE, MAIS JE NE CROIS PAS QUE TU DOIVES ENFREINDRE LA LOI POUR SAUVER LE CLUB.

AH, TU AS COMPRIS, HEIN ?
OUI.
MINCE !

NE VOUS EN FAITES PAS, LES ENFANTS ! JE VIENS D'AVOIR UNE GRANDE IDÉE !
PLUS GRANDE QUE LA PÉNICILLINE, M. SIMPSON ?
PRESQUE TOUT LE MONDE DÉTESTE LA PÉNICILLINE, MILHOUSE. MAIS AVEC CETTE IDÉE, VOUS RÉUNIREZ UNE FORTUNE POUR LE CLUB !

NON, HOMER, PAS DE STRIP-A-THON ! ÇA N'A PAS MARCHÉ POUR MONDALE, ÇA NE MARCHERA PAS MAINTENANT.
"D'OH"

DÉSOLÉ DE VOUS INTERROMPRE LES ENFANTS, MAIS JE DOIS BRÛLER UNE CARGAISON DE LIVRES DE HARRY POTTER, AVANT QUE PLUS DE GAMINS NE DÉCOUVRENT LES JOIES DE LA LECTURE...
OH ! LES ENFANTS, CADEAU SURPRISE ! LE RÉVÉREND FAIT UN BARBECUE-BOUQUINS !
HOURRAH !
Harry Potter et le calcul rénal du sorcier
J'AI MES LIVRES DE CLASSE DANS LA VOITURE !

QUE TOUT LE MONDE ESSAIE DE TROUVER DES IDÉES POUR LEVER DES FONDS D'ICI À LA SEMAINE PROCHAINE, D'ACCORD ?
MON P'TIT CHOU, JE SUIS SÛRE QUE TU VAS TROUVER.
C'EST COMME QUAND JERRY LEWIS S'EST SÉPARÉ DE DEAN MARTIN. IL ÉTAIT TELLEMENT TRISTE QU'IL A INVENTÉ LA PÉNICILLINE !

LA SEMAINE SUIVANTE...
IL DOIT BIEN Y AVOIR UN **PLAN DE OUF** POUR GAGNER DE L'ARGENT...
BON, PAS LA PEINE DE DÉLIRER. JE N'ARRIVE MÊME PAS À FAIRE COMPRENDRE AUX GENS COMMENT PRÉSERVER SPRINGFIELD, NOTRE VILLE. "SOUPIR" JE FERAIS AUSSI BIEN DE LAISSER TOMBER ET D'APPELER TOUS LES AUTRES.

LISA, JE VAIS TE POSER QUELQUES QUESTIONS, MAIS TU DOIS ME RÉPONDRE FRANCHEMENT. UN, TU SAVAIS QUE LE PRIX DES ARBALÈTES ILLÉGALES AVAIT **EXPLOSÉ** DEPUIS 1962 ?
BART... QU'EST-CE QUE TU RACONTES ?

LAISSE TOMBER. TU SAVAIS QUE LES INTÉRÊTS SUR LA **CARTE DE CRÉDIT** DE PAPA S'ÉLEVAIENT À 32 % ?
32 % ?!? MAIS, C'EST DE **L'ABUS** !
TU M'AIDES PAS BEAUCOUP LÀ... ENCORE UNE QUESTION...
BART, JE N'AIME PAS LE TON DE...

TU CONNAÎTRAIS PAS QUELQU'UN QUI A BESOIN DE **10 000** POCHETTES DE GRAINES ?
MIAAAOU ! SSSSSSS !
RUTABAGAS
GRAINES D'ARMENIES
MARGUERITES
BRUSSEL SPROUTS
BOUQUETS

BART, TU DOIS DEMANDER À LA SOCIÉTÉ DE LES REPRENDRE !
J'AI ESSAYÉ ! ILS ONT **ÉCLATÉ DE RIRE** !
CHUIS MORT. ESSAIE DE LES CONVAINCRE DE DISPERSER MES CENDRES DANS LE ROBOT MIXEUR D'APU.
VIOLETTES

J'AI UNE IDÉE ! ON VA RASSEMBLER LES ÉCOLO-OURSONS ET VENDRE LES GRAINES ! LA VILLE SERA PLUS BELLE, ON PAYE LA CARTE DE CRÉDIT DE PAPA, ET LA CAISSE DU CLUB RÉCUPÈRE LE SOLDE !
SCAT ! SCAT !
VIOLETTES
¡ AÏE ! ¡ PERO NECTAR "**ES BUENO** "!

BART, MAGNE-TOI, VA ME CHERCHER MON **BLOC PORTE-BONHEUR** !
GASP

PEU APRÈS...
EUH, HUM, DÉSOLÉ MA PETITE, JE SONDE MES MILITANTS, JE SUIS TROP OCCUPÉ POUR T'ACHETER DES... COOKIES, OU JE NE SAIS QUOI.
GUILIGUILI !
MISS AMABILITÉ
SAMPLES
VLAM !
ET MAINTENANT, EN LIVE SUR LE SEUIL DE CHEZ KENT BROCKMAN, LE REPORTER EN RTT, AU MOMENT OÙ, REFUSANT AVEC DURETÉ D'ACHETER DES GRAINES, IL BRISE L'ESPRIT D'ENTREPRISE D'UN BRILLANT JEUNE HOMME.
PFF, SUFFIRAIT DE DIRE NON !
SAMPLES
VLAM !
DÉSOLÉ MA P'TITE LISA, MAIS MON JARDIN NE SAURAIT ÊTRE PLUS BEAU... JE SUIS DÉJÀ LIMITE ENTRE CITOYENNETÉ MODÈLE ET ORGUEIL PUR ET SIMPLE !
SAMPLES
VLAM !
DÉFINISSEZ "IRONIE" : TENTATIVE DE PROFITER DE MOI, AU LIEU D'ESSAYER DE L'AUTRE CÔTÉ DE LA RUE.
ÇA VEUT DIRE QUE VOUS M'EN ACHETEZ ?
NON, SALES MIOCHES !
QUE LA FORCE SOIT VEC
VLAM !
VOUS AVEZ DU CHOU CHINOIS, DES CORNILLES OU DE LA RHUBARBE ?
EUH, NON. MAIS ON A DES BÉGONIAS !
JE NE PEUX PAS NOURRIR MA FAMILLE AVEC DES BÉGONIAS. C'EST DÉGOÛTANT !
VLAM !
WAOUH, MEC ! T'AS DES GRAINES ? T'ÉTAIS OÙ, 'Y A UN QUART D'HEURE ?
VLAM !

30, 40, 41, 42...
VOILÀ, LES GARS, ON N'A QUE 8 DOLLARS ET 42 CENTS.
DONT LES CINQ DOLLARS QUE M'A DONNÉS MA TANTE PATTY POUR ME BALADER TOUTE LA JOURNÉE AVEC CE **COSTUME MARIN ARCHINUL** !
J'AI LE MORAL DANS LES CHAUSSETTES.

J'AI RÉCOLTÉ PLUS DE 40 DOLLARS À LA CAFÈT' DE L'ÉCOLE !
KEARNEY ! C'EST MERVEILLEUX ! COMMENT AS-TU... ?
C'EST PAS MA FAUTE SI LES PLUS PETITS ET LES PLUS VULNÉRABLES ONT TOUS VOULU DONNER L'ARGENT DE LEUR GOÛTER !

EH BIEN, MALGRÉ TOUS CES ENFANTS AFFAMÉS, ON EST ENCORE LOIN DU BUT !
JE VAIS OUVRIR ! C'EST PEUT-ÊTRE UN LIVREUR DE PIZZAS QUI S'EST PERDU, OU UN CAMION-CITERNE DANGEREUSEMENT SURCHARGÉ !
TOC ! TOC !

KRACKA-BOOOM!!!
GASP !

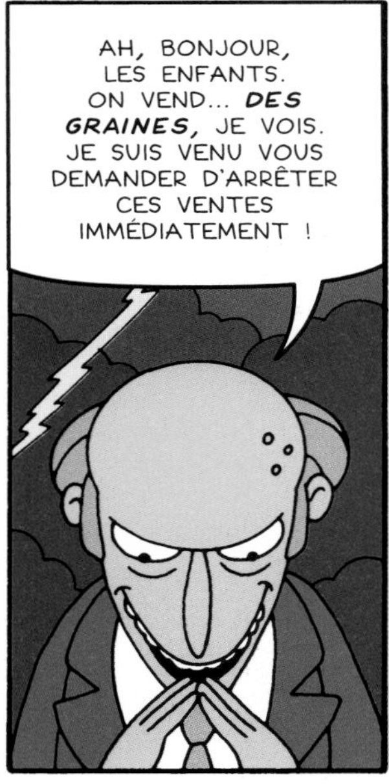
AH, BONJOUR, LES ENFANTS. ON VEND... **DES GRAINES**, JE VOIS. JE SUIS VENU VOUS DEMANDER D'ARRÊTER CES VENTES IMMÉDIATEMENT !

ARRÊTER ? MAIS, POURQUOI, M. BURNS ?

JE VAIS VOUS EXPLIQUER, LES ENFANTS. JE SUIS **ALLERGIQUE** À TOUT CE QUI POUSSE. VOUS CROYEZ QUE C'EST UN HASARD SI J'AI CONSTRUIT LA PLUS GROSSE **CENTRALE NUCLÉAIRE** DU PAYS ? **MON OEIL** !
VOUS ALLEZ DONC CESSER VOS **ÂNERIES SUR-LE-CHAMP** ! SINON...

... JE PRENDRAI DES MESURES DRACONIENNES ! VOUS ÊTES **PRÉVENUS**.

HMM. JE N'Y SUIS PAS ALLÉ UN PEU TROP FORT, SMITHERS ?
PAS DU TOUT, MONSIEUR ! CE FUT UNE **SCÈNE ADMIRABLE** !
EXCELLENT. JE N'AIMERAIS PAS LEUR AVOIR FAIT PEUR, MAIS AU CAS OÙ ILS N'AURAIENT PAS ÉCOUTÉ, ALLONS DÉMARRER LE RAYON DE LA MORT.
PARFAIT, MONSIEUR !

PEU APRÈS...
MARGE ! CES ARMÉNIENS RONCHONS SE RÉAPPROPRIENT NOTRE MAISON !
C'EST EXACTEMENT CE QU'AVAIT PRÉDIT LE MÉDIUM SUR INTERNET. HOMER, ARRÊTE-LES !
MON GRAINES D'ARMÉNIE TRANSPORTS S.A.R.L.

VOUS N'AVEZ QU'À PAYER CETTE FACTURE, ET VOUS POURREZ RÉCUPÉRER LES BOUTS DE VOTRE MAISON.
15 000 **DOLLARS** !?!?!?!? MAIS JE N'AI MÊME PAS COMMANDÉ DE **GRAINES** !
LA PREMIÈRE ÉTAPE, C'EST ADMETTRE QUE VOUS AVEZ UN PROBLÈME, M'SIEU.
SI **DEMAIN À MINUIT**, VOUS N'AVEZ PAS PAYÉ, ON REVIENT PRENDRE **LE RESTE**.

PAPA, C'EST MA FAUTE. JE VOULAIS UNE ARBALÈTE... JE NE SAVAIS PAS CE QUI ALLAIT SE PASSER... JE SUIS DÉSOLÉ, PAPA... SNIFF
QU'EST-CE QU'ON VA FAIRE, HOMER ? ON NE PEUT PAS PERDRE NOTRE **MAISON** !

DE MON TEMPS, EN CAS DE PROBLÈME, TOUTE LA **VILLE** SE RÉUNISSAIT POUR FAIRE UNE BONNE VIEILLE **KERMESSE DE CAMPAGNE**.
SUPER IDÉE, GRAND-PA !
JAMAIS ENTENDU UN TRUC AUSSI BÊTE.

EN MÊME TEMPS, UNE KERMESSE, QUELLE **SUPER** BONNE IDÉE !
MEILLEURE QUE LA **PÉNICILLINE** ?
WHAP!
FRED

UNE **KERMESSE**, HHMM ? C'EST CE QU'ON VA VOIR, CHER AMI DE LA CLASSE MOYENNE !
K-TEL'S Death Ray
LA LANGUE DES SIGNES POUR LES NULS

LE LENDEMAIN...
EH, LES GARS ! JE PEUX COMPTER SUR VOUS POUR LA GRANDE KERMESSE DE CE SOIR ?
FÊTE DES GRAINES
SI SES EMPLOYÉS SE RENDENT À LA **KERMESSE,** M. BURNS RISQUE DE **NE PAS APPRÉCIER,** HOMER.
HUM...
QUOI ? POURQUOI DIS-TU ÇA ?

BEN, SURTOUT À CAUSE DE CE DOCUMENT.
Notification d'intimidation
À tous les employés du site,
Concernant la prétendue "kermesse" : Quiconque sera surpris en train de participer à cette infâme réunion de ploucs sera battu, puis renvoyé, ou harcelé par des gros bras, et pas des gros bras de gangsters de comédie. Point final.
Sincèrement,
C. Montgomery Burns

AH, ALORS MAINTENANT LES GARS, VOUS FAITES RIEN SI BURNS N'EST PAS **D'ACCORD,** C'EST ÇA ? C'EST VOTRE **MANMAN** OU QUOI ?
EH, C'EST **PAS JUSTE** ! TOI **AUSSI** TU BOSSES POUR BURNS TU SAIS !
KESSKYA LENNY ? T'AS LES **CHOCOTTES** QUAND **MANMAN BURNS** N'EST PAS DANS LE COIN ?

OUAIP, TA MANMAN, C'EST **UN VIEILLARD DESSÉCHÉ. PRENDS ÇA,** CARL !
ARRÊTE DE DIRE ÇA, HOMER. C'EST GÊNANT.

ON DIRAIT QU'HOMER SIMPSON FAIT DE L'ACTIVISME AUPRÈS DE NOS ABEILLES OUVRIÈRES DU **SECTEUR 7-G,** MONSIEUR.
VRAIMENT ? RIEN DE MIEUX QU'UN **DÉBAT ANIMÉ** POUR HUILER LA **MACHINE DU CAPITALISME,** VOUS SAVEZ ! BONNE CHANCE À CE **BEATNIK DÉMAGOGUE** !
JE LUI FAIS **CASSER LA FIGURE** ?
PLUTÔT **DEUX** FOIS QU'UNE !

DIEU **BÉNISSE** LA CHUTE DE LA **POLICE SECRÈTE SOVIÉTIQUE**. CES DEUX JEUNES GENS COÛTENT LE TIERS DE CE QUE COÛTE UN GORILLE DE LA **MAFIA** !
FFFSSSSHHH!
CLICK!

C'EST CIBLE !
AIIIE !
C'EST HEURE CASSER GUEULE ! LUI PRENDRE ! LUI PRENDRE !

EH, TU SAIS CE QUI PASSERAIT BIEN AVEC CETTE EAU ?
ENCIEMENTS
NON, QUOI ?

DES CHIPS !
OUAIS, MEC, CE SERAIT SYMPA.

TOPE-LÀ DE L'ESPACE POUR LES CHIPS !
T'AS RAISON, MON POTE !

CES TYPES VONT ME TUER ! SI MON CERVEAU N'ÉTAIT PAS TELLEMENT... QU'EST-CE QUE JE PENSAIS, LÀ ? TAIS-TOI, CRÉTIN DE CERVEAU ! TAIS-TOI ET PENSE !
CIBLE PARTIE PAR ICI, JE CROIRE !

MANOEUVRE DUR N°788 C'EST GO !
TACTIQUE ALPHA CASSE-CHEVILLES C'EST GO. RÉPÉTER : C'EST GO AVEC CASSE-CHEVILLES !
ATTENTION
ATTENT

CARRAASSHH!!

?
CAMARADE EST IDIOT ! LUI PAS CIBLE ! OH, ON EST ENCORE EU. TEMPS D'ACCEPTER QUE NOUS SOMMES TRÈS MAUVAIS DURS.
MMMPPHH !

OUF ! SAUVÉ ! MAIS QU'EST-CE QUE JE VAIS DIRE À LISA ? QU'EST-CE QUE JE VAIS DIRE À MARGE ?
PORTE 2
ATTENTION CONSERVER EN SOUS-SOL
DÉCHETS RADIOACTIFS

C'EST UN MIRACLE, HOMER ! ON A APPELÉ TOUT LE MONDE ! ILS VIENNENT TOUS À NOTRE KERMESSE ! TOUS ! ET TOUT LE MONDE VA DONNER UN COUP DE MAIN !
... HEIN ? MAIS... MAIS COMMENT TU AS FAIT ?

LES LARMES, PAPA ! ON LES A TOUS APPELÉS ET ON A PLEURÉ JUSQU'À CE QU'ILS ACCEPTENT DE VENIR ! PENDANT QUATRE HEURES ! HAHAHA !
J'Y AI PENSÉ PARCE QUE TU NE M'AS PAS PUNI QUAND ILS ONT EMMENÉ L'ESCALIER ! BOUH PÔV' DE LOI, HAHAHAHAHAHA !

JE N'AI JAMAIS ÉTÉ AUSSI FIER DE VOUS DEUX ! SNIFF !
ALLEZ VOUS METTRE DES GOUTTES, ON PART À LA BONNE VIEILLE KERMESSE !

CE SOIR LÀ ...
Fête des Graines de Springfield
TIR AUX BOUTEILLES DE LAIT
BANANES AU CHOCOLAT
SMOOTHIES A LA COURGE D'ÉTÉ
REPORTAGE SPÉCIAL DE L'OEIL DE SPRINGFIELD AUJOURD'HUI, OÙ MA FILLE VAMPIRIQUE ET MOI-MÊME COUVRIRONS TOUT LE SPECTACLE DES PRÉPARATIFS DE LA KERMESSE !
EXACTEMENT, MAMAN ! L'OCCASION DONC DE TRAITER LES GENS DE "PORCS" ET DE NOUS MOQUER DE LEURS COUPES DE CHEVEUX ET TOUT !

TOURS DE PONEY
Stand des Bisous
TARTES ET POTINS
LIMONADE
OH ! OH ! QUEL CAUCHEMAR POUR UNE FASHIONISTA ! JE NE PEUX PAS VOIR ÇA ! À L'AIDE ! ÉLOIGNEZ-VOUS, MONSTRE !
EH ! MA ROBE DE MARIÉE EST-Y L'SEUL TRUC DE PROPRE QUE JE PEUX METTRE POUR UN GENRE DE GALA COMME ÇA !

SMITHERS ! D'OÙ VIENNENT TOUTES CES LUMIÈRES ET CES BRUITS DE JOIE ? DE LA GRAND-PLACE ? ILS N'ONT QUAND MÊME PAS TENU LEUR MAUDITE KERMESSE CONTRE MA VOLONTÉ ?
AH... ON DIRAIT BIEN, M. BURNS !

SALUT MOE ! ÇA MARCHE LES **AFFAIRES** ?
EUH, PAS TERRIBLE, LISA. IL NE SE PASSE **RIEN**, MALGRÉ L'OFFRE DE **GRAINES GRATUITES** ! J'PIGE PAS !
Stand des Bisous
Attrapez-le, Mesdames ! Deux dollars seulement !
KRAZY KAJUN BEIGNETS AUX GRAINES

OH, MON DIEU !
OH, C'EST VRAI ! MA "**TRONCHE**" ! J'AVAIS OUBLIÉ QUE J'ÉTAIS **MOCHE** ET TOUT ! SI C'EST PAS LE POMPON !
AÏÏÏE !

DIS DONC, TU NE DEVAIS PAS ALLER AU **KIOSQUE** ? ILS T'ONT CHERCHÉE PARTOUT. FILE, TU VAS FAIRE **RATER** LE CHANT AU DRAPEAU !
MAIS JE N'AI ENCORE RIEN VU !

OYEZ, OYEZ ! APPROCHEZ **TOUS** ! VENEZ VOIR LE SPECTACLE ÉTERNEL DE LA LUTTE ENTRE **L'HOMME ET LA NATURE**, UN SOMBRE TABLEAU DE LA SURVIE EN MILIEU HOSTILE !
AYE, MAÎTRE D'ÉQUIPAGE ! JE RELÈVE VOTRE DÉFI ! JE VOIS D'ICI UN BON **TREMPAGE DE CLOWN** !
EH, EH, REGARDEZ TOUS ! **POPEYE** CROIT QU'IL VA RÉUSSIR À FAIRE **COULER LE CLOWN** ! MONTRE CE QUE TU **SAIS FAIRE**, ACHAB !
COULEZ LE CLOWN
NEZ DES GRAINES GRATUITES
3 BALLES – 5$
WHIFF!
RATÉ !

HEIN ?
KLAANGG!
AH HA ! COULÉ, MATELOT !

SPLOOSH!
ARGH ! MON AGENT M'AVAIT DIT QUE JE NE ME MOUILLERAIS PAS !

UNE MINUTE, AMIRAL ! IL Y A UNE ARNAQUE !

VOUS ÊTES UN VRAI VOYOU, MONSIEUR ! JE VOUS ACCUSE D'AVOIR CACHÉ DES BALLES SUPPLÉMENTAIRES DANS CETTE BESACE !
EH ! "CRACHE" ! CE SERAIT SYMPA D'APPORTER UN ESCABEAU ! "GLOUPS" !

AYE, MA POCHE-KANGOUROU, C'EST MA HONTE SECRÈTE. ARRH.

BEURK !

JE NE COMPRENDS PAS ! ILS ONT ORGANISÉ LA KERMESSE MALGRÉ MON INTERDICTION CATÉGORIQUE !
C'EST PEUT-ÊTRE LE SENS DE LA ***COMMUNAUTÉ*** ET DE LA ***CAMARADERIE*** QUI LES INSPIRE, MONSIEUR ?
ILS ONT PEUT-ÊTRE APPRIS À S'UNIR DANS L'ADVERSITÉ ?
HMM, THÉORIE INTÉRESSANTE.

NON, ILS SONT SIMPLEMENT IMPUDENTS.
ENVOYEZ LE RAYON DE LA MORT.

Oh Springfield, Oh Springfield,
Et tes derniers espaces verts.
Oh Springfield, Oh Springfield,
Nous aimons tant notre terre.
Nous aimons notre air, devenu si gris, Nous aimons le respirer, tant pis.
Oh Springfield, Oh Springfield,
Notre ville à l'agonie nous t'aimons !
VOUS SAVEZ QUE LE RAYON NE TUERA QUE LES VÉGÉTAUX, MONSIEUR ?
K-TEL'S Death Ray
KZZAAAAPPP!
BIEN SÛR, ET MERCI DE ME LE RAPPELER, MONSIEUR PAS MARRANT !

KZZAAAPPP !
GASP !
ATTENTION !
BROUM !
BROUM !

KA-BOOM !!
KA-BOOM !!
EST-CE LA FIN, Ô TERRE DE MES ANCÊTRES ?

VOY-VOY ! CE RAYON VIENT DE LA CENTRALE, ET IL EST EN TRAIN DE COMPLÈTEMENT DÉSTABILISER LES GRAINES IRRADIÉES AVEC TOUT CE KA-BOOMAGE EXPLOSIF !
BAM !
C'EST ÇA, MERCI, M. EXPOSITION !

EUH, JE CRAINS QUE LE RAYON NE SOIT EN TRAIN D'ACCÉLÉRER MASSIVEMENT L'ÉCLOSION DES GRAINES, M. BURNS !
CATA. C'EST REPARTI COMME AU NICARAGUA.

REGARDEZ, LÀ !
LES GRAINES POUSSENT DANS TOUS LES SENS ! C'EST MAGNIFIQUE !
TRIBUNAL DU COMTÉ DU SPRINGFIELD

POLICE
OH, REGARDEZ-MOI CES BELLES COULEURS ! JE ME SENS TOUT RAFRAÎCHI !
JE PEUX Y GOÛTER AVEC MON SNIFF-SNIFF !
POLICE

ARRH, J'AI UN BATEAU-ARBRE MAINTENANT. UN NOUVEAU DÉCOR TOUT EN BEAUTÉ FLORALE POUR HANDSOME PETE ET MOI, VRAI.

MAUDITES ALLERGIES ! VITE, SMITHERS, APPORTEZ-MOI UNE RECHARGE D'OXYGÈNE DÉPOLLINNISÉE !
OUI, MONSIEUR !
OXYGEN

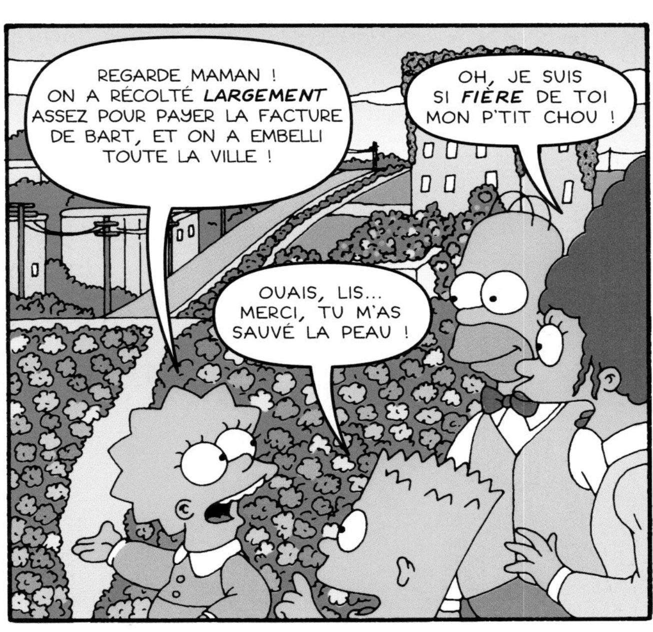
REGARDE MAMAN ! ON A RÉCOLTÉ LARGEMENT ASSEZ POUR PAYER LA FACTURE DE BART, ET ON A EMBELLI TOUTE LA VILLE !
OH, JE SUIS SI FIÈRE DE TOI MON P'TIT CHOU !
OUAIS, LIS... MERCI, TU M'AS SAUVÉ LA PEAU !

ET PLUS IMPORTANT QUE TOUT, ON A RÉCUPÉRÉ NOS TOILETTES ET PERSONNE N'EST EN PRISON !

BONTÉ DIVINE ! LE TEST INDIQUE QUE LE RAYON, EN PLUS D'AVOIR FAIT POUSSER LES PLANTES, A RENDU STÉRILES TOUS LES ADULTES !
BEEP! BEEP!
HUH?

IL DIT QU'AUCUN ADULTE DE SPRINGFIELD NE PEUT PLUS AVOIR DE BÉBÉ AVEC COUCHES ET MAUVAISES ODEURS ET, OH, PURÉES DE LÉGUMES !
BOOT! BOOT!

'Y A PAS DE QUOI ÊTRE TELLEMENT CONTENTS !
FIN